Le Serpent & Le Dragon

Grenoble Vue du Ciel

© 1991 Editions Glénat
BP 177, 38008 Grenoble Cedex
Tous droits réservés pour tous pays
ISBN 2-7234-1470-1
Dépôt légal : novembre 1991

Le Serpent & Le Dragon

Grenoble Vue du Ciel

Préface d'Alain CARIGNON

Glénat

Textes : Paul DREYFUS   Photos : Bernard RONTÉ

Préface

Et soudain, la montagne est autre, un peu moins obsédante, elle trouve sa place dans la lumière des perspectives. "Grenoble vue du ciel", c'est le voyage de l'homme-oiseau au-dessus des fleuves entrelacés et de la ville revisitée.

D'une image à l'autre, l'exercice est terrible, la ville que l'on croyait si bien connaître n'est plus qu'un vaste jeu de patience : le pâté de maisons familier un bourdonnement de toits, telle place et ses rues une figure géométrique que la couleur réveille. L'exercice est terrible mais il passionnera tous ceux qui cherchent à comprendre les étapes de la construction de Grenoble. Une ville qui a toujours cherché à repousser les limites que la géographie avait écrites pour elle.

Grâce à la qualité des photos de Bernard RONTÉ, souvent irréelles, la promenade est belle.

Et, lorsque la mémoire défaille au-dessus de l'image, la plume de Paul DREYFUS chatouille notre oreille : la ville devient bavarde.

Alain CARIGNON
Maire de Grenoble

Photo Ronan KERLOC'H

Bernard RONTÉ,
né en 1949 à Angoulème, Charente.
Marié, un enfant.
Il a pris le virus de la photographie
auprès d'un maître de la prise de vue
aérienne durant 3 années à Genève.
Il s'installe à Grenoble en 1974 et se
spécialise dans la photo industrielle et
publicitaire dès 1976. Aujourd'hui il
est épris de missions aériennes et est
régulièrement sollicité.

Paul DREYFUS,
qui est né dans le nord de la France en
1923, se considère comme rhônalpin :
ses premières armes de journaliste,
il les a faites, dès 1946, à la rédaction
parisienne du "Progrès" de Lyon avant
de venir, en 1955, s'établir à Grenoble,
qu'il n'a plus quittée. Sauf pour parcourir
le monde, durant 33 ans, comme
grand-reporter au "Dauphiné-Libéré".
Il est l'auteur de 25 livres : histoires,
essais, récits de voyages, biographies.
Plusieurs d'entre eux sont consacrés à
Grenoble, au Dauphiné, à la résistance
dans la région.

Remerciements à la société HELI-UNION, quatrième opérateur hélicoptère mondial, exploitant près de 130 machines dans 25 pays, et grand spécialiste du transport de passagers et du travail en zones difficiles de montagne.

Ainsi qu'à la société SINTEGRA, spécialisée dans la photogrammétrie et topographie numérique, pour la photo pages 10-11, réalisée avec leur aéro-comander (bimoteur) équipé pour la prise de vue verticale et métrique format 23 x 23 cm.

Originaire d'une région maritime au relief plat, j'ai immédiatement été attiré par les hauts sommets et les points culminants de la ville de Grenoble. Ceux-ci allaient sûrement m'offrir des points de vue exceptionnels. En 1982, je réalisai un cliché nocturne de la ville. Devant le succès de celui-ci, l'idée me vint d'aller fouiller dans tous ces quartiers, visions inhabituelles pour le promeneur.

A l'image du diable Asmodée, qui dans le roman de Lesage (1707) vole et soulève les toits des maisons pour dévoiler les secrets qui s'y cachent, j'allais, grâce à l'hélicoptère, survoler la ville avec mon objectif à la recherche de l'insolite... Et c'est en "m'élevant" que je découvris l'ingéniosité de l'homme. Avec cette particularité qu'au lieu de faire tourner la lumière comme dans un studio, il faut tourner avec elle, moyennant un esprit d'équipe et une très grande disponibilité.

Bernard RONTÉ

Avec 2000 mètres de recul, vue panoramique de Grenoble et sa banlieue.

De si haut, on comprend bien pourquoi des hommes ont choisi ce site géographique unique pour s'installer. L'Isère (le Serpent), le Drac (le Dragon), le massif de Belledonne, la Chartreuse, le Vercors…

Autant d'attraits qui ont fait et qui font l'histoire de cette ville.

*Que tu es belle, Grenoble, quand on te découvre,
un jour de printemps, à l'entrée de
la grande vallée du Grésivaudan, dominée par
la puissante cordillère de Belledonne !*

L'esplanade, un jour où un cirque y a dressé son chapiteau. Au fond, la Porte de France.
Au centre, entre deux rideaux d'arbres, l'amorce de l'autoroute A 48.

La Porte de France, l'un des derniers restes des fortifications du XVIIe siècle, est aujourd'hui isolée au milieu de l'échangeur de l'autoroute de Lyon. Elle sert, à Grenoble, de monument aux morts puisque malgré de nombreux projets, il n'en fut pas construit après la Première Guerre mondiale.

Le pont de la Porte de France, et, au premier plan, la place de la Bastille, rebaptisée place Hubert-Dubedout. Le nombre d'avenues et de rues qui y débouchent aurait pu rendre la circulation très difficile. L'étude de ces flux fut confiée à la SOGREAH qui, avec ses ordinateurs et un modèle réduit, a réglé le problème à la satisfaction des automobilistes.

Dans l'axe du pont de la Porte de France, la ville du XIXe siècle : celle de Berriat, d'Edouard Rey, de Félix Viallet, les grands maires bâtisseurs de cette époque.

Le débouché du boulevard Maréchal-Lyautey sur
le parc Paul-Mistral, dont on aperçoit, à gauche,
les frondaisons. Le cliché est pris à la verticale de
la bibliothèque municipale.

Le triangle Jean-Jaurès - Alsace-Lorraine -
Gambetta. Au centre, la Chambre des Métiers
avec, à gauche, le groupe scolaire Jean-Jaurès,
dont les cours de récréation forment un petit îlot
de verdure.

La place Saint-André au pied du clocher de la Collégiale qu'on a appelée le "joyau du Grésivaudan". Au premier plan, les toits d'ardoises du Palais de Justice, dont on découvre les deux cours intérieures.

Le pont de la Citadelle à gauche et le pont Saint-Laurent à droite. C'est en cet endroit, où l'Isère est la plus étroite, que les pontonniers romains de Tucius Munatius Plancus lancèrent le premier pont sur la rivière, en 43 avant J.C. C'était un ouvrage en bois.

Le quai Créqui, avec au centre l'élégant Hôtel de Belmont, siège du Tribunal d'Instance. Tout à côté, l'Hôtel des Administrations.

Au-dessus de l'Isère, en volant vers l'amont.
A gauche, l'abrupte falaise du Rabot.
Au centre, l'enfilade des quatre ponts : France,
Marius-Gontard, Saint-Laurent et Citadelle.

Le Musée d'Intérêt National, appelé "le M.I.N.", en
construction. Au premier plan, la Tour de l'Isle qui
fut la première maison commune de Grenoble. Au
fond, "l'immeuble en S".

Les "Bulles", leur ombre à la surface de l'Isère,
la gare du téléférique et le Jardin de Ville.

Au premier plan, à droite, l'ancienne Chambre de Commerce à l'angle de l'avenue Félix-Viallet et du boulevard Gambetta. A l'arrière-plan, l'église Saint-Louis, avec son clocher carré.

... Soudain l'isère vient buter contre le rocher
de la Bastille. Son cours s'en trouve rétréci plus
que partout ailleurs depuis Montmélian...
Bonne raison pour que naisse ici une bourgade qui
deviendra Grenoble. Mieux qu'un discours, cette
photo explique les raisons de la
fondation de Cularo.
La colline du Rabot : jusqu'au XXe siècle, elle
n'intéressait que les militaires qui en avaient fait la
clé de la défense de Grenoble. Puis elle intéressa
l'Université qui en fit une petite acropole pour
étudiants. On voit, sur cette photo, la vieille Tour
Rabot et l'ensemble
des résidences.

Vue "en plongée" de l'église Saint-Laurent et de la Porte, au pied des six premières "marches" des remparts. Cet espace de verdure a été baptisé Jardin Léon-Moret, du nom du grand géologue qui dénonçait la "conspiration contre nos paysages", bien avant qu'on ait inventé l'écologie.

Une vue inattendue des fortifications du Rabot, au-dessus de Saint-Laurent. Quelle chance, pour une grande ville, de posséder cette réserve de verdure à deux pas de son centre ! Babylone avait ses jardins suspendus. Nous avons les nôtres. Protégeons-les avec soin…

De cette colline, Paul-Louis Merlin, président des Amis de l'Université, voulait faire l'acropole intellectuelle de Grenoble. Sous cette impulsion naquirent l'Institut de Géologie et l'Institut de Géographie Alpine.

C'est André Malraux qui décida de transformer l'ancienne Visitation, fondée par Saint-François de Sales, en un Musée des Arts et Traditions Populaires. Du coup, Sainte-Marie-d'en-Haut, devenue le Musée Dauphinois, a retrouvé un nouveau rayonnement. Peu de lieux, à Grenoble, sont chargés de plus d'Histoire.

Le fort du Saint-Eynard.
La vertigineuse falaise calcaire du Saint-Eynard, au sommet de laquelle veille toujours le vieux fort abandonné. Derrière lui, le haut vallon du Sappey-en-Chartreuse, que domine l'orgueilleux pupitre du Chamechaude.

Le quartier Saint-Laurent : ici naquit Cularo la
Gauloise, sur ce petit tertre de la rive gauche de
l'Isère ; c'était l'un des rares endroits de la plaine à
peu près à l'abri des inondations.

Contre-jour sur l'Isère où se reflète le soleil, juste à
l'amont du Pont de la Citadelle.
Au premier plan, le quartier Saint-Laurent coupé,
en son milieu, par l'étroite fissure de la rue
Saint-Laurent.

L'extrémité orientale du quartier Saint-Laurent, avec, au fond, les casemates, la porte fortifiée et l'église. A l'origine, les maisons bordaient l'Isère. Certaines étaient même construites en encorbellement. Ce qui était pratique pour vider les eaux usées ! Le "tout-à-l'Isère" précéda de beaucoup le tout-à-l'égout...

Enjambant une Isère presque verte - ce qui n'est pas fréquent -, le Pont de la Citadelle. Sur la rive droite, la petite place Xavier-Jouvin, avec la statue du maître-gantier qui contribua tant à la prospérité de cette industrie.

De la place de Verdun qui ne fut ainsi baptisée qu'après l'hécatombe de 14-18, le Second Empire avait voulu faire un carrefour des pouvoirs. On y rangea donc au carré, derrière de nobles façades, la politique, l'administration, l'état-major, l'université et la culture.

La Préfecture, place de Verdun : une des plus belles préfectures de France, avec celle de Lyon. En arrière-plan, les bâtiments du Conseil Général de l'Isère.

Les "trois tours", "l'immeuble en S" - familièrement
appelé "la nouille" - le Rectorat et, au premier plan,
le Jardin des Plantes, dont l'idée première revient à
Dominique Villars, médecin et prince des botanistes.

Dans le quadrilatère de verdure du parc
Paul-Mistral :
un crayon dressé vers le ciel : la Tour Perret,
un domino debout sur deux dominos couchés :
l'hôtel de ville,
un papillon aux ailes déployées : le stade
de glace.

Deux des héritages des Jeux Olympiques d'Hiver 1968 : l'anneau de patinage de vitesse et la grande patinoire, baptisée stade de glace Pierre Mendès-France.

La Tour Perret, du nom du grand architecte Auguste Perret (1874-1954), qui la construisit en 1925 au centre du parc Paul-Mistral, à l'occasion de l'Exposition internationale de la houille blanche et du tourisme. Elle fut, à l'époque, le plus haut édifice en béton armé de France.

Le cloître noir du Rectorat, œuvre de l'architecte
Novarina, contraste avec le sucre blanc
du nouveau Museum d'histoire naturelle, donnant
sur le Jardin des Plantes. Au milieu, l'Hôtel de
Ville.

Sur la photo prise à la verticale de ce dernier, on
distingue très bien le patio intérieur, tandis que la
tour paraît aplatie ! Sous la rangée d'arbres, le
boulevard Jean-Pain.
Construit par la municipalité Michallon,
le nouvel Hôtel de Ville a été conçu par l'architecte
Novarina.

Le centre-ville, avec, au premier plan, la place Vaucanson et le square Léon-Martin, qui s'étend à l'emplacement de l'ancienne poste centrale.

Le moutonnement des toits de la vieille ville.
Au premier plan, la rue Chenoise. Au fond, la rue
Brocherie. Cette photo illustre bien l'effort de
rénovation qui est poursuivi, depuis quelques
années, dans les quartiers anciens.

Un triangle équilatéral presque parfait : l'îlot Berriat
- Gambetta - Thiers. Au premier plan,
le cours Berriat. Au fond, le carrefour
Gambetta - Alsace-Lorraine.

Une croix parfaite : le carrefour entre la rue
Lesdiguières et la rue Casimir-Perier.

Le lycée Champollion : entre le cours Lafontaine et la rue Lesdiguières, le vaste quadrilatère du lycée Champollion avec ses nombreuses cours, petites et grandes.

Le square Léon-Martin et la place Vaucanson. La rue de la Poste, qui débouche à gauche, évoque l'époque récente où s'élevait la Grand-Poste à l'emplacement du square. Celui-ci porte aujourd'hui le nom de l'ancien maire de Grenoble, Léon Martin, homme de courage et de caractère.

Une partie de la vieille ville médiévale, entre
la place aux Herbes (en bas à droite) et la place
Notre-Dame (en haut à gauche).

La cathédrale Notre-Dame et la place Notre-Dame :
les photos de l'édifice révèlent l'extrême
complexité de ce qu'on appelle l'ensemble
cathédrale. Les travaux en cours permettront de
mettre - ou plutôt de remettre - en valeur ce que
les iconoclastes grenoblois avaient tant maltraité
au cours des siècles... Le Baron des Adrets fut l'un
d'entre eux. Mais pas le seul !

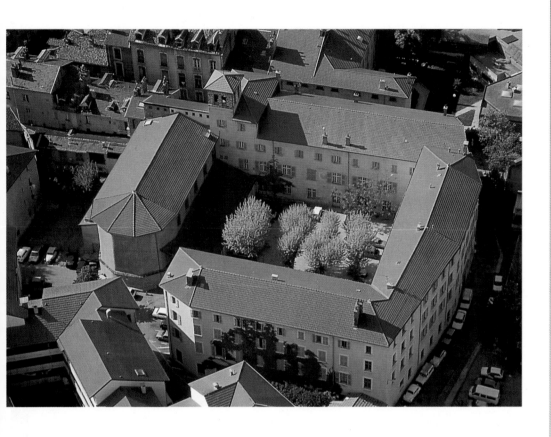

L'ancien Hôtel de Ville, la Collégiale Saint-André et la vieille ville. Sa forme arrondie, qu'on distingue parfaitement sur cette photo, est celle de la cité du Moyen Âge, encore enserrée à l'intérieur des remparts gallo-romains du IVe siècle.

La rue du Vieux Temple, dans le quartier Notre-Dame et l'amphithéâtre Marcel-Reymond. Ce fut la chapelle du Grand Séminaire, avant la Révolution. Le cloître forme un îlot de verdure entre les maisons serrées les unes contre les autres.

Le Palais de Justice et une partie de la vieille ville.
On aperçoit la place aux Herbes, les rues Chenoise
et Brocherie et, au bord de l'Isère, la place de
Bérulle, où se trouvait autrefois le port fluvial de
Grenoble.

La place Saint-André et, à droite, le Palais du
Connétable de Lesdiguières, qui servit longtemps
d'Hôtel de Ville. La grosse tour ronde, en bas
à droite, est l'un des restes du Château des
Dauphins, datant du Moyen Age.

La place aux Herbes entre la rue Brocherie et la
rue du Palais. Au-delà, l'îlot des Clercs et la rue
Lafayette. A droite, la Grande Rue.

La place Victor-Hugo, avec son petit bassin,
comme un œil bleu clair. A gauche, l'église
Saint-Louis et la rue Félix-Poulat.

La place Grenette... devenue une vaste terrasse de café, comme la place Saint-Marc, à Venise. Le marbre en moins !

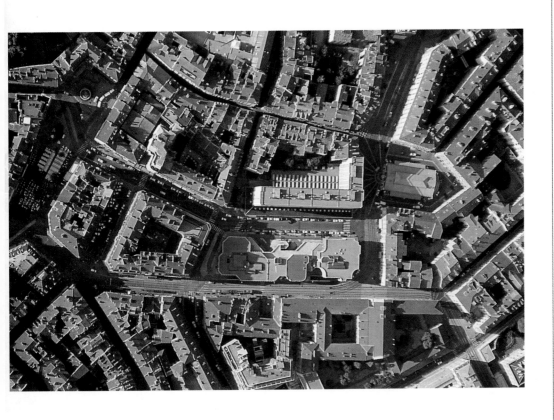

Ce qu'il n'aurait jamais fallu faire…
Cette Maison du tourisme, qu'aucun touriste
étranger ne peut trouver aisément et atteindre en
voiture sans mille hésitations ; ce grand immeuble,
en face (à gauche), bâti à l'emplacement du
rempart romain qu'on a eu tant de mal à détruire,
alors qu'il aurait fallu
le conserver. Plus qu'une erreur, une faute !

A la verticale de la Maison du tourisme. A droite,
la halle Sainte-Claire. Au premier plan, le lycée
international Stendhal et la place Jean-Achard.

On distingue bien le parcours du tramway dans le centre-ville entre la place Victor-Hugo, en bas à droite, et la place Grenette, en haut à gauche.

L'église Saint-Louis, construite sous le règne de Louis XIV. Une inscription, au-dessus du porche principal, évoque le souvenir du Roi Soleil . L'édifice est un exemple du style classique.

Le Jardin Hoche, tracé à l'emplacement de l'ancienne caserne qui portait ce nom. A gauche, le Centre Petite Espérance et la partie arrière de la Chambre de Commerce et d'Industrie ; à droite, le centre de loisirs et la crèche. On a voulu profiter de cette opération d'urbanisme pour développer les équipements de quartier.

A la verticale du Jardin Hoche, une des opérations d'urbanisme de la municipalité Dubedout. En bas, le long de la rue Hoche, l'ancien Institut d'Électrochimie et d'Électrométallurgie, devenu un I.U.T.

La place André-Malraux et la Chambre de Commerce, un des édifices les plus intéressants de Grenoble. Au premier plan, à droite, la tour des chèques postaux.

Place Saint-Bruno, le cœur du Grenoble populaire,
à la fin du XIXe siècle. C'est dans ce quartier que
naquit l'idée des Allocations Familiales dont le
père fut Émile Romanet.

Ici, devant l'église Saint-Bruno, se tient un marché
très animé et réputé pour ses prix avantageux.

Les trois tours qui furent si discutées lorsqu'on les construisit... Le sous-sol s'y prêterait-il ? N'allait-on pas gâcher le panorama ?
Et puis on s'aperçut qu'elles avaient presque l'élégance du gratte-ciel de Gio Ponti à Milan.

Dans le quartier de l'Ile Verte, cette fausse
place de l'Étoile, à gauche, n'est que la place
Docteur-Girard.

Le nouveau pont de l'Ile Verte, avec la ligne n° 2
du tramway, en direction de l'hôpital, dont
on voit un des pavillons (en haut à droite), et
du Campus Universitaire.

Une vue générale de Grenoble. Au fond, Fontaine et Sassenage, que domine le massif du Vercors : Moucherotte, Trois Pucelles, plateau Charvet, plateau de Sornin, où il reste encore un peu de neige.

On l'appela d'abord cours Saint-André, du nom de son créateur Prunier de Saint-André.
Il devint, sous la IIIe République, le cours Jean-Jaurès. Des grands boulevards au Rondeau, il s'appelle, depuis 1945, le cours de la Libération. Puis il redevient cours Jean-Jaurès, du Rondeau à Pont-de-Claix. C'est l'une des plus longues avenues de France.

La vasque des Jeux Olympiques à l'entrée du boulevard Maréchal-Joffre. La flamme y brûla pendant toute la durée des J.O.

L'Église Saint-Jean...
- "Qu'est-ce que c'est que ça ?" demande le Général de Gaulle au Préfet Maurice Doublet, lors d'une revue passée sur les boulevards, la tribune étant juste en face de cet édifice rond.
- "Ça, mon Général, c'est une église" répond le préfet.
- "Curieux, curieux !" murmure le Général.

Le Grenoble de la seconde moitié du XIXe siècle et du début du XXe. Le boulevard Édouard-Rey (à gauche) et le boulevard Gambetta (à droite) enserrent la place Victor-Hugo. Grenoble qui vient de briser le carcan de ses fortifications, s'offre le luxe de quelques avenues rectilignes.

Le cours Jean-Jaurès, de l'estacade S.N.C.F. à la place de la Bastille. On a peine à imaginer, qu'il y a quatre décennies, des passages à niveau paralysaient encore la circulation dans Grenoble : cours Berriat, à l'Aigle et ailleurs…

La caserne de Bonne. Comment regarder cette photo, sans évoquer les otages qui furent incarcérés par les Allemands en 1944 dans une chambre transformée en cellule ? Sans songer à l'héroïsme d'un résistant, d'origine polonaise, qui, quelques mois auparavant, avait fait sauter le dépôt de munitions installé en cet endroit ?

Le TGV au cœur de la ville !
C'est avec lui qu'arrivent la majorité des
vacanciers… mais aussi des hommes d'affaires.
C'est pourquoi, le nouveau quartier d'Europole,
encore en construction, a choisi ce site pour
s'implanter.

La gare S.N.C.F., construite à l'approche des Jeux
Olympiques. Georges Pompidou n'en voulait pas,
trouvant que la facture des J.O. commençait à trop
s'allonger. C'est Hubert Dubedout qui décida le
Général de Gaulle, alors qu'il était monté dans sa
voiture, pour une visite de Grenoble.

Le débouché de l'avenue Alsace-Lorraine et de
l'avenue Félix-Viallet sur la place de la gare.
Au premier plan, les voies du tramway.
A gauche, la fontaine aux jets d'eau qui dansent si
joliment, surtout quand on les aperçoit à contre-
jour. D'une place fort banale, on a fait un coin
charmant.

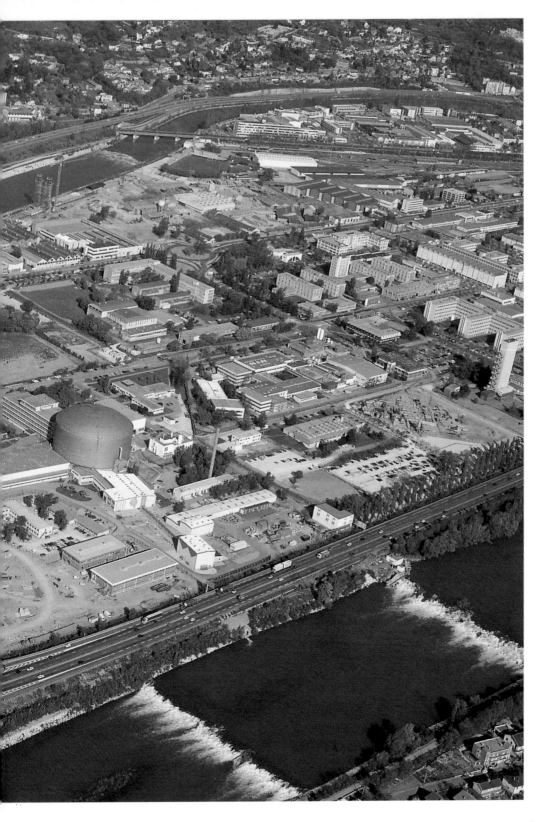

Le Polygone Scientifique, dans la presqu'île
entre Isère et Drac (au premier plan).
Le grand anneau du Synchrotron (à gauche) fait
penser à la définition pittoresque de Louis
Leprince-Ringuet : "un vélodrome pour particules".

Caterpillar.
Le siège social, à Peoria, dans l'Illinois, a longuement mûri sa décision avant de venir s'installer à Grenoble. Ce fut un nouveau souffle pour l'industrie régionale.

KIS.
Une des réussites de l'architecture moderne à Grenoble : le siège de KIS. S'il existait un prix d'élégance, c'est à cette entreprise qu'on souhaiterait le décerner...

La Semitag.
La nuit, quand la ville dort, le TAG (tramway de l'agglomération grenobloise) en fait autant... Non loin de Grand'Place, dans le vaste dépôt, où se trouvent aussi les ateliers d'entretien, viennent alors se garer toutes les rames des deux lignes : 35 actuellement (été 1991).

Vue générale de la Z.I.R.S.T. de Meylan, où s'écrit
un nouveau chapitre de l'histoire
du développement industriel de l'agglomération
grenobloise. Ici on entre déjà dans le monde
de demain. A droite l'autoroute A 41, en direction
de Chambéry et Genève.

Merlin Gerin
Le nouveau siège social de Merlin Gerin à Meylan.

Le C.N.E.T.
Centre National d'Études des Télécommunications à
Meylan.

Hewlett Packard.
A Eybens. L'une de ces usines d'électronique qui
ont changé le paysage industriel de Grenoble, tout
en poursuivant sur la voie qui avait été amorcée
par quelques pionniers dauphinois.

Europole.
Bientôt se dressera ici le plus grand centre
d'affaires de Grenoble. Quelques programmes ont
déjà été livrés, et les premiers souffles de
ce nouveau "pouvoir" économique se font
déjà sentir.

"L'Espace" Comboire.
Entre le Drac et l'autoroute A 48 en direction de
Pont-de-Claix et, demain, de Sisteron.
A droite, dans l'ombre, le rocher de Comboire,
avec son vieux fort du XIX ᵉ siècle. Une précieuse
réserve pour les urbanistes
du XXI ᵉ siècle.

Alpexpo : le centre des expositions de Grenoble,
avec, sur sa partie gauche, le palais des congrès.

Au centre, la Maison de la Culture. Au premier
plan, le siège du Crédit Agricole de l'Isère.

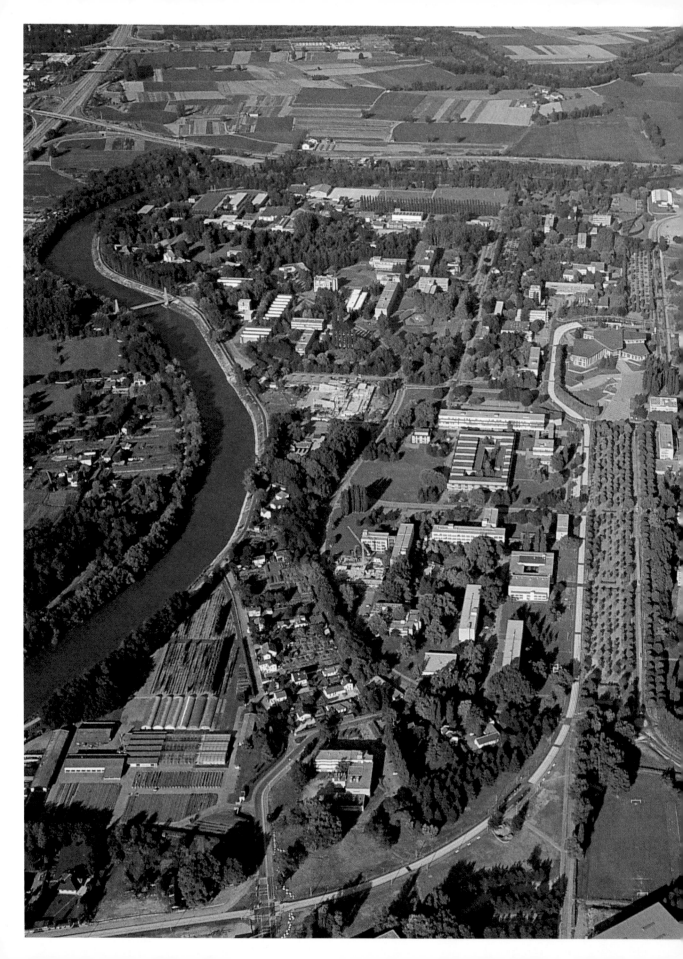

Une vue générale du *Campus Universitaire*,
dans la boucle de l'Isère, à l'amont de Grenoble.
Longtemps isolé, il est soudain devenu proche du
centre-ville, depuis l'achèvement, fin 1990, de la
seconde ligne du tramway.

Le Campus Universitaire, dont le pionnier fut
le doyen Louis Weil, s'étend sur plus de
200 hectares, sur les communes de
Saint-Martin-d'Hères et de Gières.

L'avenue centrale, largement plantée d'arbres,
conduit à la bibliothèque des Sciences.
A gauche, les bâtiments des Sciences Physiques,
puis l'Institut Polytechnique.

L'Hôpital Albert-Michallon, Centre Hospitalier
Universitaire Régional (C.H.U.R.), surnommé
"le Hilton". Au premier plan à droite, le service de
neurologie ; à gauche, celui de pédiatrie. Plus loin,
à gauche, l'amphithéâtre Lemarchands.

L'Hôpital Sud, construit pour les Jeux Olympiques
d'Hiver en 1968. On craignait qu'il n'y ait
beaucoup de jambes cassées.
Il n'y en eut aucune !

La Villeneuve.
Une des grandes idées des urbanistes, sous
la municipalité Dubedout. On voulait en faire
un exemple, voire même une sorte de phare. Mais
la qualité de la construction n'était pas à la mesure
des ambitions. La concentration des habitants était
trop élevée. Et on découvrit, a posteriori, qu'il ne
suffisait pas de multiplier les équipements socio-
culturels et d'essayer de brasser les populations
pour assurer l'intégration et faire naître la joie de
vivre...

La Villeneuve voulait être une incontestable
réussite. Elle demeure une expérience discutée. Il
reste à améliorer ce qui peut l'être.
La municipalité actuelle s'y emploie.

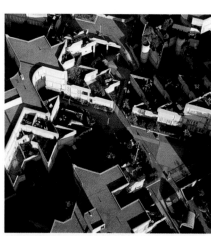

*Étrange géométrie des toits, comme
une peinture abstraite, dans ce quartier de Saint-
Martin-d'Hères.*

Le barrage E.D.F. de Saint-Égrève, vu de l'aval vers l'amont. Au fond, Grenoble. L'ouvrage a contribué non seulement à élargir le cours de l'Isère entre le confluent avec le Drac et le barrage, mais à permettre aux eaux de se décanter et de retrouver leur couleur verte.

Le barrage E.D.F. à Saint-Égrève. Vue en contre-jour, la rivière ressemble à une flaque de mercure.

Le plan d'eau de la station d'épuration Aquapole sur la rive droite de l'Isère, au Fontanil, qui traite les eaux usées de l'agglomération grenobloise.

Une vue générale de l'usine d'épuration des eaux de Grenoble : cette réalisation a demandé des années, en raison de la nécessité de construire un collecteur général des effluents liquides de la ville.

Pour qualifier les échangeurs, les Américains parlent de "Spaghetti Bowls", les bols de spaghetti. Celui-ci, sur la rive droite du Drac, qu'on aperçoit en haut, met en communication l'A 48 avec la Rocade Sud.

Le nouvel échangeur d'Alpexpo, sur la Rocade Sud : une des portes modernes de Grenoble.

Un échangeur à l'entrée de l'autoroute A 41 en direction de Chambéry et Genève.

La fééérie des lumières. Cette photo est la seule qui n'ait pas été prise d'hélicoptère. Ce soir-là, Bernard Ronté avait installé son appareil de photo à la Tour-sans-Venin.

Achevé d'imprimer en Octobre 1991
sur les presses de CLERC S.A. - 18200 Saint-Amand-Montrond
N° d'imprimeur : 4732